Il faut sauver Saïd

Brigitte Smadja

Il faut sauver Saïd

Neuf

l'école des loisirs

11, rue de Sèvres, Paris 6e

Du même auteur à *l'école des loisirs*

© 2003, l'école des loisirs, Paris
Loi n° 49.956 du 16 juillet 1949 sur les publications
destinées à la jeunesse : septembre 2003
Dépôt légal: janvier 2018
Imprimé en France par Gibert Clarey Imprimeurs
ISBN 978-2-211-07244-1

À Patrice Champion,
à Sophie Chérer
et à tous les élèves qui ont envie
d'étudier et qui ne le peuvent pas.

Quand j'ai quitté le CM2, j'étais grand, et ma maîtresse, Nadine, me félicitait toujours.

Aujourd'hui, je suis au collège Camille-Claudel. Il y a mille deux cents élèves et je suis tout petit, pas grand du tout, le plus petit de la classe, le plus petit tout court.

Depuis le premier jour, je sens une menace, quelque chose qui me guette, d'invisible.

Tous les mois, je vais écrire quelque chose de très important, une rédaction pour moi tout seul, qui ne sera notée par personne, juste pour me souvenir. Je vais m'appliquer, comme Nadine me l'a appris, en cherchant les mots, en composant mes phrases.

À dix ans, j'ai demandé pour mon anniversaire un dictionnaire. Je l'ouvre, je lis, je recopie les mots et leur définition, pas toutes, mais celles qui me plaisent. Je dis parfois les mots à maman, elle les répète, elle sourit, elle ne comprend pas. Elle parle mal le français.

Peut-être qu'à la fin de l'année, je donnerai mon cahier à Nadine et elle saura qu'elle s'est trompée : ça ne sert à rien d'avoir appris à lire, à écrire et à compter, ça ne sert à rien d'être bon élève.

Octobre : le bruit

Dans le hall peint de couleurs vives et sales, les élèves sont agglutinés, une foule hurlante où je ne reconnais presque personne.

Les grands ne se parlent pas entre eux, ils rigolent très fort, ils crient comme si le reste du monde était sourd.

La plupart ne sont pas méchants, mais ils ne savent pas s'exprimer autrement. Certains se lancent des invectives, comme ils le font dans la rue ou en bas des immeubles, et les autres les imitent.

Invectives : paroles ou suite de paroles violentes lancées contre quelqu'un ou quelque chose ; injures, insultes.

Les petits sixièmes ne marchent pas, ils courent, ils se balancent leur cartable, ils se bagarrent, ils jouent.

À l'école, c'était interdit. Ils le faisaient parfois, et moi aussi, mais Nadine était là, ou Jean-Marie. Ils fonçaient sur nous, ils grondaient, ils faisaient un peu peur, ils avaient de l'autorité, et nous, on obéissait.

Au collège, il y a deux adultes dans le hall et devant eux des centaines d'élèves. Alors, les adultes ne peuvent rien faire. Ils essaient quand même, ils s'énervent, un peu, beaucoup et, à la fin, comme ça continue à faire du bruit partout autour d'eux, comme les cartables se transforment en ballons de foot, comme tout le monde se moque de leurs crises de nerfs, le plus souvent, ils n'en font même plus, ils laissent tomber.

Les bandes de grands, je les appelle des meutes. Il y a des meutes plus dangereuses que d'autres. Il y en a une, surtout, dirigée par mon grand cousin Tarek. Mon frère Abdelkrim, qui est en quatrième, traîne avec eux. Je m'en doutais depuis l'année dernière, mais je ne voulais pas y croire. Maintenant, je sais. Ils ont des blousons, des cheveux rasés, des yeux brillants. Ceux de cette meute-là, je l'ai remarqué dès le premier jour, ils ne baissent pas les yeux quand on leur parle. Ils n'ont jamais peur, de personne. Même leurs rires ne sont pas des rires, mais des rictus.

Rictus : sourire grimaçant exprimant des sentiments négatifs.

Tout le monde les respecte. Sauf moi et Antoine.

Le respect, c'est quand on croit que ce que dit une personne, ce qu'elle fait, est juste et bon. Moi, je respecte mon père, ma mère et Nadine, ma maîtresse de CM2, par exemple, mais Tarek et sa meute, je ne les respecte pas. Ils ne sont ni bons ni justes. Ils te regardent de leurs yeux fixes et tu sais qu'ils sont prêts à frapper si tu croises leur regard. Je fais tout pour les éviter.

Pour me faire entendre, même pour dire salut à mon copain Antoine, je suis obligé, moi aussi, de crier, sinon Antoine n'entend rien. Il est toujours au même endroit contre l'un des piliers du hall et il a l'air de penser à autre chose, il est enfermé dans une bulle. Quand je crie son nom deux fois, trois fois, enfin il se tourne vers moi, et il me fait un signe de la main. Antoine parle si bas que je peux à peine comprendre ce qu'il dit. Je suis au milieu de la foule hurlante, déjà fatigué avant le début des cours.

Dans les escaliers et les couloirs, c'est pire, ça résonne, les voix, les pas. Personne ne fait rien pour arrêter ça, sauf un pion parfois, qui crie plus fort que les élèves, mais ou bien ils ne l'écoutent pas, ou bien ils se moquent de lui. « Il ne va pas tenir longtemps, celui-là, c'est un nouveau », explique Manu, un ancien de la primaire. « Il ne va pas tenir longtemps », répète Manu et il ricane en regardant le blouson d'Antoine. Il le regarde en faisant un drôle de truc, il se passe la langue sur les lèvres, il le fait vraiment, il se lèche les babines. «Beurk», dit Antoine, et je lui fais signe de se taire. Manu fait partie de la meute de Tarek. Ceux qui sont dans cette meute, on passe devant eux et on s'écrase.

En classe, le bruit devrait s'arrêter, mais non.

Nadine nous faisait mettre en rang, deux par deux, dans le couloir, et elle nous expliquait qu'entre le couloir et la classe, il y avait une frontière. Quand on franchissait la frontière, on devait respirer un grand coup, elle disait qu'on entrait dans un autre espace. C'est drôle, au début, je la trouvais débile, mais, au bout de quelque temps, j'aimais ça, respirer, franchir la frontière, m'asseoir tranquillement à ma place et l'écouter.

Au collège Camille-Claudel, entre la rue et la grande cour, entre la grande cour et le hall, entre le hall et le couloir, entre le couloir et la classe, les frontières sont des passoires, et il n'y a pas de douaniers. Les élèves entrent en parlant, ils jettent leur cartable sur les tables. Si le prof n'élève pas la voix, ils continuent. Si le prof élève la voix, ils s'arrêtent, à peine une minute, et ils recommencent. Déjà la moitié de mes profs ont abdiqué.

Abdiquer : renoncer à agir, se déclarer vaincu.

Ma prof de français s'appelle Mme Beaulieu, elle est jeune, c'est son premier poste, elle nous l'a dit dès le premier cours, elle est très gentille, ça se voit dans ses yeux. Elle joue à faire sérieux avec ses lunettes et son cartable où elle range bien toutes ses affaires.

Elle a essayé d'obtenir le silence. Pas un silence de deux minutes, mais un vrai, d'une heure. Elle a demandé qu'on lève la main pour poser une question ou répondre.

Il y a trois mois, on savait lever la main, et déjà on ne sait plus. Sauf moi et Antoine, mais même nous, on n'ose pas, et ça ne sert à rien de toute façon, Mme Beaulieu ne nous voit plus. Mélissa et Inès bavardent, Jonathan et Faïm rigolent, Bogdan et Agnès se battent. Mme Beaulieu soupire et elle reprend sa leçon. Elle explique la grammaire, les mots, leur nature, leur fonction, elle explique très bien et personne n'écoute, sauf moi et Antoine.

La semaine dernière, elle a menacé d'un contrôle surprise. Tout le monde a râlé. Certains ont dit qu'ils n'avaient pas de feuille, d'autres qu'ils n'avaient pas de stylo. Adrien et Mohammed s'envoyaient des flèches de papier et Mme Beaulieu, derrière ses lunettes, les regardait. Elle a renoncé à son contrôle, mais elle a donné une punition générale. Je lui en ai voulu parce que je n'avais rien fait, mais les autres, c'était pire, à voix basse comme des lâches, ils l'ont traitée de noms orduriers.

Antoine a haussé les épaules. « Je le dirai à mon père, il me croira. »

Moi, je pensais, mon père ne me croira pas et j'aurais droit à une gifle. Il dira que je suis comme mon frère Abdelkrim et mon cousin

Tarek, il dira que je suis un bon à rien, il dira que je lui fais honte.

J'ai recopié sur mon cahier de correspondance la lettre aux parents de Mme Beaulieu. On devait faire signer le carnet et la punition.

— Et si on ne le fait pas ? a demandé Bogdan, et tout le monde a ri quand il a dit ça.

La réponse de Mme Beaulieu s'est perdue dans la sonnerie et les hurlements.

À la cantine, le bruit devient plus fort encore, un bazar à faire crever les tympans. Puis il faut reprendre les escaliers, les couloirs et rentrer en classe et je dois faire un effort très grand, assis au premier rang, pour écouter ce que les profs racontent au milieu du tintamarre.

Tintamarre : grand bruit discordant.

Le collège Camille-Claudel, c'est comme chez moi. La télé est toujours allumée, des voix murmurent ou crient, et c'est toujours un film de guerre.

Novembre : la vengeance

Mme Beaulieu s'est acharnée. Elle n'aurait pas
dû. Elle a voulu punir tous ceux qui refusent
de travailler et, comme elle a beaucoup
d'élèves, elle a donné beaucoup de punitions.
Les heures de colle n'ont servi à rien. Il n'y a
personne pour surveiller et les élèves ne viennent pas. Elle s'est plainte à la direction. On a
eu droit à une admonestation du proviseur,
même nous, les petits.

*Admonestation : action d'admonester, répriman-
der sévèrement, sans condamner, mais en avertissant
de ne pas recommencer.*

Le proviseur a parlé du respect de l'autre,
du silence, de la nécessité de l'effort et du travail, du mérite, de la dignité, aussi. Je n'ai pas

pu m'empêcher de sourire. Le proviseur croit
que tout s'arrange avec des mots, mais, parfois,
les mots ne sont rien d'autre que des sons.

— Cause toujours, a murmuré Bogdan, on
passera tous en cinquième, si on veut, c'est les
parents qui décident. Même avec un cinq de
moyenne générale, on peut passer.

Quand même, la voix du proviseur a fait
un effet. Moi, je croyais que tout allait s'arran-
ger après ça, mais, juste avant de nous quitter,
le proviseur a tout gâché en disant avec un
petit sourire :

— Vous devriez mieux tenir votre classe,
madame Beaulieu.

Tenir votre classe, j'aimerais bien le voir,
lui. Il est toujours tranquille dans son bureau.
D'ailleurs, c'était la première fois qu'on le
voyait dans une classe. Le proviseur était caché
derrière la vitre. Pendant cinq minutes, on a
été sages et dès qu'il a disparu, le vacarme a
repris, comme avant, et même pire.

Mon cousin Tarek est un chef. Il ne respecte personne, mais tout le monde le respecte, c'est-à-dire que tout le monde a les jetons.

C'est Antoine qui m'a prévenu.

– Ça va être sa fête à Beaulieu. J'ai entendu Tarek en parler à la cantine. Ton frère Abdelkrim est dans le coup. Tu étais au courant ?

Antoine ne sait pas que Tarek est mon cousin. Je n'ai pas répondu, j'ai baissé la tête comme si j'étais coupable.

Ce colosse d'un mètre quatre-vingts, qui a trois ans de retard, qui s'en fiche complètement du collège, qui voulait déjà quitter l'école en sixième, a décidé d'en finir avec Beaulieu.

Tarek et sa meute ont commencé par taguer sur toutes les portes des injures sur Mme Beaulieu, des choses tellement horribles que si son père les avait vues, il l'aurait massacré, c'est sûr.

À chaque cours, Mme Beaulieu corrige d'abord toutes les fautes d'orthographe en disant : «Même les injures ont une orthographe ». Ensuite, elle efface les mots avec des produits ménagers, de l'Ajax et une éponge grattante verte rangés dans son cartable. Les autres profs la voient faire, ils veulent intervenir, mais elle refuse d'être aidée. Je ne supporte pas de voir ça, à chaque fois, j'ai envie de vomir ou bien je me dis qu'elle est folle.

— Tarek va taper plus fort, m'a dit Antoine, ça sera pour vendredi. Pourquoi on le renvoie pas, ce dingue ? Ton frère Abdelkrim, on devrait le renvoyer, lui aussi. Tu crois pas ?

— Je sais pas. Peut-être qu'ils ont déjà essayé, mais ils peuvent pas. Pas de preuves. Je sais même pas comment ils font pour écrire tous ces trucs sans se faire piquer.

— Moi, je sais, a dit Antoine, qui est une véritable agence de renseignements, qui fait semblant de ne rien entendre, mais qui entend tout. Tarek demande aux petits de surveiller les couloirs, de faire le guet. Les petits, on les soupçonne moins. Bogdan le fait, Jonathan, aussi. Ils ont la trouille de Tarek, moi, s'il me demande, je dirai non ! Et toi ?

Une fois encore, j'ai baissé la tête.

Le jour J est arrivé. Et il s'est déroulé comme d'habitude, un cauchemar.

Comment elle tient, Mme Beaulieu ? Pourquoi elle continue tous les matins à venir au collège Camille-Claudel pour enseigner à des élèves qui attendent en riant qu'elle s'effondre ?

Nous étions très excités. C'était la fin de la semaine, et il ne restait plus qu'une heure avant de nous évader. La dernière heure de cours au collège, c'est l'apogée du bruit. De quoi devenir sourd.

Apogée : le point le plus élevé, le plus haut degré.

J'ai imaginé que Tarek surgissait dans la classe et menaçait Mme Beaulieu d'un couteau ou bien qu'il l'attachait et l'enfermait tout le week-end dans une armoire.

Il ne s'est rien passé et j'ai cru de toutes mes forces qu'Antoine s'était trompé. On l'avait mal renseigné, on allait rentrer chez nous, passer un samedi et un dimanche à regarder la télé, à jouer au foot et le lundi, peut-être, on entrerait en cours et un miracle aurait lieu. Un ange serait passé et aurait déversé sur nous une poudre magique, hypnotisante et, dans le silence, on écouterait Mme Beaulieu nous expliquer la concordance des temps.

Dès la sonnerie, en quelques secondes, plus personne dans la classe et le bruit des pas fracassants dans les couloirs, puis dans les escaliers.

Antoine et moi, nous étions les derniers à partir et nous prenions notre temps dans les couloirs déserts. Quand le collège est vide, je pourrais presque l'aimer.

J'ai franchi le seuil. Il y avait encore du soleil, un soleil froid dans un ciel très bleu et les arbres verts, immobiles, cachaient les tours de la cité.

– On peut pas partir, a dit soudain Antoine, on peut pas la laisser, ils vont peut-être remonter, la tabasser, lui envoyer de l'acide sur la figure ou l'enlever, l'enfermer dans une cave et la torturer.

J'ai eu peur qu'Antoine ait raison et je me souvenais du dernier film qu'on avait vu ensemble, en cachette, chez lui. C'était *Scream*, c'était horrible, mais on faisait semblant que c'était très drôle. L'image de Mme Beaulieu dans une mare de sang m'a donné envie de m'enfuir chez moi dans l'appartement 512 de la tour où maman m'attendait, où elle avait peut-être préparé des beignets.

— Mais non, on y va. Tu as eu de mauvaises informations, c'est tout.

— Tarek est capable de tout. Il a un casier judiciaire, tu le savais ?

Oui, je le savais, et je savais aussi qu'il avait un couteau sur lui avec lequel il joue parfois en faisant briller la lame sous les yeux des récalcitrants.

Récalcitrant : qui résiste avec opiniâtreté, entêtement.

– C'est mon cousin.

Ça m'a échappé, ça m'a fait du bien de l'avoir dit et aussitôt ça m'a fait mal, comme si j'avais trahi un secret très important.

– Ton cousin ? m'a dit Antoine et ses yeux ressemblaient à ceux des dessins animés japonais, écarquillés, immenses.

– J'ai pas choisi, c'est pas de ma faute.

– Ben non, Saïd, t'as pas de bol. Viens, on remonte. On va l'attendre.

Elle était dans sa classe, elle corrigeait des copies, elle s'est arrêtée, elle a soupiré, elle a recommencé, j'avais envie de la consoler.

Dans ma tête, je l'appelais Corinne, c'est son prénom, dans ma tête, je lui disais, Corinne, ne sors pas, mais elle ne m'écoutait pas.

Elle a rangé ses affaires. Elle s'est levée.

Antoine et moi, nous nous sommes cachés et nous avons descendu à toute allure les escaliers sonores.

Devant le collège, il y avait Bogdan, Manu et d'autres élèves qui attendaient le massacre. Derrière eux, j'ai vu Tarek qui se curait les ongles avec la lame de son cran d'arrêt. Sans le vouloir, Antoine et moi, on avait fait le guet, on les avait prévenus de sa sortie. J'ai cherché Abdelkrim, il n'était pas là. Ça m'a soulagé. Mon frère n'était pas complice.

Mme Beaulieu s'est dirigée vers le parking et nous l'avons suivie. Elle marchait sans baisser la tête, sans courir, droit devant elle, avec dignité :

Dignité : gravité qui inspire le respect.

Soudain, elle s'est retournée et elle a eu un drôle de sourire.

Tarek est parti tranquillement retrouver un pote derrière un arbre. Je n'ai pas eu besoin de le voir, j'ai compris. Ce pote, c'était mon frère. Il riait, et il a prononcé en arabe un vœu de mort. J'ai voulu crier, mais Tarek m'a repéré et m'a fait un signe : celui de m'égorger si je parlais.

Il lui a crevé ses pneus. Il a enfoncé la lame de son couteau dans le caoutchouc. Les quatre pneus.

Elle a fait le tour de la voiture, trois fois.

Il n'y avait rien sur son visage, pas de colère, pas de surprise, rien. Elle a ouvert son coffre, elle a sorti deux pneus neufs et un cric. Elle a ouvert la portière arrière de sa voiture et sorti encore deux pneus. À croire qu'elle savait ce qui l'attendait, dans ce parking sans rien autour, pas un café, pas une cabine téléphonique, un désert idéal pour un traquenard.

M. Théophile a surgi, tout à coup, de sa voiture et ça nous a tous fait sursauter. Lui, d'habitude, il est le premier à quitter le parking. À peine ses cours finis, il regarde sa montre, il retourne chez lui, à Paris, loin de cette banlieue triste, il se sauve dans sa belle voiture grise.

Il est prof d'histoire-géo et, dans ses cours, il n'y a jamais de chahut, pas un son. Il ne met pas d'heures de colle, ni de zéros. Il arrive au bout du couloir et tout le monde se tient à carreau. À cause de ses cheveux blancs très courts, à cause de son costume, de sa cravate, de sa taille, presque deux mètres, et parce qu'il ressemble à l'acteur de *Mission impossible*.

Avec lui, tout le monde le sait, même Tarek : pas question de ne pas dire bonjour, pas question de parler fort, pas question de ne pas avoir ses affaires, pas question de ne pas faire un contrôle. Il nous mitraille de ses yeux bleus, il nous toise, il ne lâche jamais prise.

Je l'adore. C'est le seul cours où je peux travailler sans avoir à me boucher les oreilles. Le seul cours où je me repose.

Tarek le hait, mais il ne s'en prendra jamais à lui. Il préfère détruire Mme Beaulieu, parce que c'est une femme, qu'elle n'a même pas vingt-cinq ans, qu'elle est toute petite et qu'elle ne porte ni cravate ni costume, parce qu'elle ne ressemble pas à une commissaire de la télé.

En voyant les pneus crevés, M. Théophile a hurlé : « Bande de salauds ! » et il a montré son poing en direction des arbres. « Bande de lâches ! Quel exemple vous donnez à vos petits frères ? Criminels ! »

— Il va les éclater ! a murmuré Antoine, et il m'a serré le bras à me faire mal.

J'attendais ce moment avec impatience, moi aussi. M. Théophile aux prises avec Tarek et Abdelkrim, les réduisant d'un seul coup de poing, les clouant au sol, puis les obligeant devant tout le monde à réparer leur crime.

Il s'est avancé vers eux, la rage dans les yeux. Mme Beaulieu a posé son bras sur le sien, elle a dit non avec la tête et elle lui a repris le cric qu'il lui avait arraché pour l'aider ou pour les exploser.

Ils ont parlé encore un long moment, puis M. Théophile l'a abandonnée.

Quand sa voiture a quitté le parking, je l'ai détesté, et j'étais si triste de le détester.

— Pourquoi il la laisse seule ? Il n'a pas le droit ! C'est lui, le salaud ! a crié Antoine.

Elle a pris son cric, et elle a commencé le travail. C'était dur, c'était long, mais elle prenait son temps. Antoine s'est approché d'elle et, malgré l'interdiction de Tarek, je l'ai suivi. Elle nous a souri et elle nous a demandé de rentrer chez nous. Antoine n'a pas voulu. Nous sommes restés tous les deux à un mètre d'elle.

Au bout d'une heure, elle avait changé deux pneus et nous étions une dizaine à l'observer, sans bouger. Même Bogdan, même Jonathan se sont approchés, ils n'en revenaient pas, ils n'en menaient pas large. Même Manu a sifflé d'admiration.

Une demi-heure plus tard, elle avait fini.

La nuit était tombée. Un réverbère s'est allumé. À la lumière sur son visage, j'ai vu que Mme Beaulieu pleurait.

Elle est montée dans sa voiture, en laissant sur le parking ses quatre pneus pourris. Des phares ont balayé la route devant elle. C'était M. Théophile, j'en suis sûr, qui attendait. Ça m'a réconcilié avec lui.

Autour de nous, des élèves ont commencé à rire. Abdelkrim a félicité Tarek. Antoine a craché par terre :

– Tarek, t'es un taré !

Je l'ai admiré, j'ai eu peur pour lui. J'avais raison. Manu l'a suivi. Demain, Antoine n'aura plus son blouson.

Moi, je me sentais mort. J'avais reçu quatre coups de couteau dans le ventre.

Décembre : mon frère Abdelkrim

Au collège, je travaille de moins en moins, sauf avec M. Théophile. J'aimerais bien l'avoir comme prof dans toutes les matières. Il est sévère et il est très drôle parfois, quand on ne s'y attend pas du tout.

Il ne respecte pas le programme. Il dit en feuilletant le livre d'histoire-géo : « Quelle stupidité ! »

Il a toujours des cartes muettes autour de lui et le jeu est d'être capable de dire où sont tous les pays.

Il nous a fait construire une frise avec des dates qu'on doit apprendre par cœur. Il a eu cette idée quand Mohammed a dit que le Christ était né en même temps que Louis XIV.

À tous ces cours, pendant quelques minutes, on s'entraîne. Se repérer dans l'espace et le temps, c'est son truc à M. Théophile et même ceux qui n'apprennent rien chez eux finissent par savoir.

Il a divisé la classe comme dans une équipe de foot. Il y a la rangée A, la rangée B, la rangée C et la rangée D. À chaque fois qu'il nous rend un contrôle, en fonction de nos notes, on change de rangée. Déjà, il n'y a plus que trois élèves dans la rangée D. Toute la classe veut aller dans la rangée A. Moi, je ne l'ai jamais quittée et Antoine non plus.

En histoire, il raconte comme dans un film. Quand il a parlé de Néron, un fou furieux qui a fait assassiner sa mère Agrippine, même Bogdan écoutait.

Il nous corrige et il nous oblige à bien écrire. En trois heures par semaine, j'apprends plus avec lui qu'avec tous mes autres profs.

Mme Beaulieu n'a plus droit aux injures depuis l'histoire des pneus, mais c'est trop tard pour elle, jamais plus elle ne retrouvera vraiment la paix. Elle continue quand même et elle me gronde, parce que je ne fais plus d'efforts. Le chahut est trop grand, et je pense à autre chose, à mon frère Abdelkrim par exemple, à ses disparitions la nuit. J'écris n'importe quoi sur mes copies et, en contrôle, il m'arrive de rendre feuille blanche.

Antoine, c'est pas pareil. Ses parents lui donnent des cours particuliers en maths et en français. Il n'habite pas comme moi la cité, mais de l'autre côté de l'autoroute, une toute petite maison assez moche, mais une maison quand même. Moi, je pourrais très bien réussir, si je le voulais, dit Mme Beaulieu. Elle ne comprend pas que je le veux, de toutes mes forces, mais que des forces, j'en ai de moins en moins.

J'ai d'autres problèmes, et ça, Mme Beaulieu et M. Théophile ne le savent pas. Ils n'imaginent pas ma vie en dehors des murs en carton de leur classe.

Il y a une semaine, ma famille a explosé. On était tous à table, et on attendait Abdelkrim. Papa était furieux. Depuis des mois, il est en retard, mais papa fait toujours comme si c'était la première fois. Il accepte sans rien dire toutes les salades qu'Abdelkrim raconte quand il arrive enfin avec un nouveau blouson, un magnétoscope ou une pile de CD.

Depuis le mois de septembre, il a sans cesse de nouvelles fringues. Des fringues qui valent des fortunes, que les parents ne peuvent pas lui payer. Il prétend que des copains lui font des cadeaux. Papa n'y croit pas du tout, en vrai, mais il ne peut pas imaginer que son fils soit un voleur.

Maman adore Abdelkrim, c'est son préféré, elle le serre dans ses bras et elle l'appelle ma vie, mon gâteau au miel. Pour elle, il n'a pas quatorze ans, il n'a jamais grandi, elle le défend toujours.

Papa n'aime pas commencer un repas si ses quatre enfants ne sont pas autour de lui, alors, on attend Abdelkrim, parfois très tard. Mes parents ont l'impression que tant qu'Abdelkrim rentre pour le dîner, tout va bien, il est forcément encore dans le droit chemin, il ne deviendra pas comme Tarek.

Pour les rassurer, Abdelkrim leur a dit qu'il ne le fréquentait plus, qu'il allait juste discuter avec quelques copains et qu'il s'intéressait beaucoup à la religion. Il ment, mais si je le disais à mes parents, ils auraient un air si malheureux que je ne le supporterais pas.

Mounir a sept ans. Il était assis tout droit sur sa chaise et il avait faim. Papa l'a fait taire en tapant du poing. Mounir a regardé son assiette vide.

Samira, ma grande sœur de dix-sept ans, était dans la cuisine avec maman. Elles ont apporté des plats, elles n'ont pas voulu que je les aide. Chez nous, les garçons n'aident pas les femmes, ils ne mettent pas la table, ils ne font pas à manger, ils ne débarrassent pas, ils attendent qu'on les serve. Alors je n'ai pas bougé et j'ai écouté des inspecteurs à la télé enquêter sur un nouveau crime.

Au moment où les inspecteurs se tenaient en embuscade, prêts à tirer, Abdelkrim a fait irruption dans l'appartement.

Irruption : invasion soudaine et violente.

Il avait les yeux fous d'un chef de meute. Il ressemblait à son cousin Tarek. Il y a eu des coups de feu. Seul Mounir fixait l'écran.

J'ai tout de suite remarqué les baskets rouges. Maman aussi, et comme elle a eu peur de la colère de papa, elle a juste dit :

— Tu vas rendre les affaires qui ne sont pas à toi, hein, ma vie ?

Abdelkrim l'a repoussée en faisant claquer la porte derrière lui, il a foncé dans la cuisine et il a traîné Samira dans la salle à manger.

— Lâche-moi ! Tu me fais mal ! a crié Samira.

Papa a essayé de l'empêcher de frapper sa sœur et il s'est passé quelque chose d'impossible. Abdelkrim s'en est pris à papa, il lui a hurlé de ne pas se mêler de ça, il lui a hurlé qu'il était un incapable, qu'il ne savait pas tenir sa fille, qu'il ne gagnait pas assez d'argent, qu'il laissait sa famille dans la misère.

Papa l'a giflé, Abdelkrim a renversé la table, maman se tenait la tête, Mounir s'est mis à pleurer, la télé a chanté un jingle de pub pour une bagnole.

Samira sort avec un garçon, un Français, a précisé Abdelkrim, comme il aurait dit un chien. Il a ordonné qu'elle cesse immédiatement, il avait déjà parlé à Kevin et l'avait menacé de le tuer s'il touchait à sa sœur.

Samira s'est défendue, puis elle a pleuré. Il a exigé qu'elle sorte dans la rue avec un foulard sur la tête, il voulait l'enfermer, il lui a dit des injures, celles qui étaient écrites sur la porte de Mme Beaulieu.

Papa essayait d'empêcher ses enfants de se battre, mais c'était très difficile. Abdelkrim est devenu un fauve. Papa et maman ne s'en sont pas aperçus.

Samira et Abdelkrim étaient chacun à un bout de la table renversée et il y a eu une seconde de silence pendant laquelle j'en ai profité pour demander d'une voix douce, comme celle d'Antoine, une voix tellement basse qu'on est obligé de l'écouter.

– On n'est pas français, nous ? Je suis né en France, et toi aussi et Samira et Mounir. Qu'est-ce que je suis si je suis pas français ? Pourquoi Samira elle aurait pas le droit d'aimer Kevin si elle veut ?

– Tu seras jamais français ! a crié Abdel-krim, jamais !

J'ai pris Mounir par la main, j'ai ramassé trois tranches de pain, j'ai posé sur une assiette des boulettes de viande et je l'ai entraîné dans la chambre où je dors avec lui et mon frère de quatorze ans que je ne reconnais plus.

J'ai fait un puzzle avec Mounir. C'est Antoine qui me l'a donné pour lui. Mounir est petit, il jouait, il n'entendait pas les cris. Il cherchait dans les petites pièces un morceau de ciel bleu, il l'a trouvé, il a souri, je l'ai applaudi.

Abdelkrim s'est sauvé et maman lui a crié par la fenêtre de revenir. Elle a soutenu Samira, mais papa lui a ordonné de se taire. Il est parti à la recherche de son fils. Il ne l'a pas trouvé. Il est resté éveillé toute la nuit à l'attendre.

Par la porte entrebâillée, j'ai vu mes deux parents assis, à chaque extrémité de la table recouverte d'une nappe impeccable. L'aube était bleue.

J'ai eu hâte de retrouver M. Théophile. Je l'ai imaginé très classe, arrivant, toujours ponctuel, dans sa belle voiture grise. J'ai rêvé de me cacher sur le siège arrière et de vivre pour toujours avec lui.

J'ai soupiré, j'ai ouvert mon classeur de géographie et j'ai colorié en bleu les mers et les océans du monde.

Janvier : des fleurs blanches
dans un musée

J'ai eu du mal à écrire pendant les vacances scolaires.

Le chagrin creusait un trou dans ma tête.

J'ai découvert que mon petit frère était sourd ou presque. Je m'en suis aperçu un jour où je l'appelais pour qu'il vienne me rejoindre dans la chambre. Il ne m'entendait pas, et pourtant j'étais tout près, derrière lui. Il a sursauté quand il m'a vu. Je l'ai emmené tout seul au centre médical. Il y a eu un diagnostic. Mounir est totalement sourd d'une oreille. Une otite mal soignée, a dit le médecin. Maman a pleuré. Pas tellement parce que Mounir n'entend presque pas, mais parce que Samira était furieuse. Elle a dit que nous étions une famille d'arriérés, qu'elle ne porterait jamais le foulard et qu'elle serait bientôt, à sa majorité, cet été, une femme libre. Maman n'a pas eu l'air de comprendre ce que ça voulait dire.

Libre : qui a le pouvoir de décider par soi-même. Qui n'appartient pas à un maître.

Elle a raison, Samira, même si pour être libre, elle doit d'abord se cacher. Depuis la scène avec Abdelkrim, elle vit chez une amie et elle vient nous voir, rarement, sans qu'il le sache.

Kevin a été battu par Tarek et sa meute. Ils étaient cagoulés quand ils l'ont battu, mais il les a reconnus. Ils lui ont donné un avertissement. Kevin n'a pas porté plainte, ce serait la honte pour notre famille. Il attend cet été et il partira très loin avec Samira.

Ma grande sœur m'a fait jurer de ne pas dire ce secret. Je lui ai souhaité bonne chance. Elle a de très beaux cheveux, ce serait dommage qu'elle les emprisonne dans un foulard.

Quand Samira a pris le bus pour la gare, elle portait un grand manteau, une tache rouge dans la grisaille, elle était belle comme une déesse, et j'ai eu peur de ne plus jamais la revoir.

Même si j'aime de moins en moins le collège, j'étais content à la rentrée d'être un peu loin de ma famille. Pour une fois, j'avais raison.

Mme Beaulieu a décidé de faire une sortie à Paris.

J'habite une cité qui est seulement à trente-deux kilomètres de la capitale, mais je n'y suis allé qu'une seule fois, avec Samira, il y a longtemps. Mes parents n'y vont jamais, ils se perdent, il y a trop de couloirs dans le métro pour eux. Ils préfèrent la cité et le centre commercial.

C'était la première fois que le cours se passait presque normalement. Mme Beaulieu n'a pas eu à s'égosiller. On n'en revenait pas qu'elle nous propose cette balade, une grande journée en dehors du collège.

— Est-ce que vous méritez cette sortie ?

Il y a eu un grand silence et, finalement, Bogdan, que Mme Beaulieu a entendu ricaner le jour où Tarek lui avait crevé ses pneus, a levé la main, lui qui ne la lève jamais plus.

— Non.

Toute la classe était d'accord avec lui. Mme Beaulieu a voulu en savoir plus.

— Pourquoi Bogdan, d'après toi, vous ne méritez pas cette sortie ?

— Parce qu'on fait tout le temps les cons avec vous, a dit Bogdan, et il a rougi.

Ça nous a fait rire. Mme Beaulieu ne s'est pas fâchée et, même, elle a ri avec nous. Elle a retiré ses lunettes, elle les a essuyées avec la manche de son pull-over.

— Tu as raison, Bogdan. Mais moi, je vais te dire pourquoi on va aller tous ensemble à Paris. On va y aller parce que c'est ma ville, que je l'aime et que moi, contrairement à vous, je mérite cette sortie. Et on la fera même si vous continuez à être insupportables.

Après cette phrase, nous avons médité.

Méditer : soumettre à une longue et profonde réflexion.

C'était pas clair, ce qu'elle disait, et pourtant, c'était juste. Elle nous offrait un cadeau et elle n'attendait rien de nous en échange.

– Elle perd la boule ou quoi ? a dit Antoine.

Bogdan a conclu en donnant son impression dans le tohu-bohu de la cantine :

– Elle est bien, cette meuf, finalement.

Antoine et moi, nous étions très inquiets pour elle. Agnès et Mélissa avaient déjà prévu de se perdre dans le métro. Jonathan et Faïm avaient fait le pari de bourrer leur cartable de bombes et de taguer sur les murs de la ville. À notre grand étonnement, Bogdan leur a répliqué :

– Je vous démolis si vous faites ça.

– Si les élèves font n'importe quoi, Mme

Beaulieu perdra son travail, a dit Antoine. Mon père a perdu plusieurs fois le sien, c'est dur.

— Ouais et après si elle est au chômage, ils nous en fileront une moche et même pas capable de remonter des pneus, a ajouté Bogdan.

Papa aussi a été au chômage, plusieurs mois. Quand il ne travaillait pas et restait des heures à la maison à regarder des matchs à la télé, Abdelkrim a commencé à fréquenter Tarek et sa meute. Papa me faisait de la peine, je n'aimais pas ses yeux vides. Abdelkrim le regardait à peine, il le méprisait.

Mépriser : estimer indigne d'attention ou d'intérêt.

Je ne veux pas, si Mme Beaulieu a un fils, qu'il la méprise.

Mme Beaulieu ne perdait pas la boule et le matin de la sortie, un mardi, elle est arrivée en compagnie de M. Théophile qui n'avait pourtant pas cours ce jour-là. Elle avait pensé à un ange gardien de deux mètres en costard cravate.

– C'est son amoureux ! s'est exclamée Agnès.

– M. Théophile ne peut pas avoir d'amoureuse, il a trop de chiffres dans la tête, a rétorqué Antoine qui déteste les filles et les histoires d'amour.

Il a accroché au-dessus de son lit une photo de l'acteur qui joue dans *Mission impossible*, le sosie de M. Théophile, son idole.

Moi, en les voyant tous les deux, j'ai sauté de joie. Il n'y avait plus rien à craindre.

Mme Beaulieu nous a distribué à chacun un petit carnet et un stylo et elle nous a demandé d'écrire tous les noms d'écrivains, de peintres, de sculpteurs, d'architectes, d'acteurs, de chanteurs et de danseurs que nous verrions sur des affiches, dans les rues ou dans le métro, ou bien dans le musée où nous irions ; puis de faire la même chose entre notre gare de banlieue et le collège.

J'ai commencé tout de suite et j'ai regardé très attentivement pendant le trajet, mais je n'ai rien noté. Il n'y avait rien à voir à part des affiches publicitaires pour des marques ou des supermarchés et une seule pour un film catastrophe. J'ai écrit le titre, les noms des acteurs et du réalisateur et j'ai refermé mon carnet.

Dans les couloirs du métro de la gare du Nord, nous avancions très lentement. Il y avait déjà tant de choses à écrire que le carnet ne suffirait pas. Sur le quai du métro, nous étions tous agglutinés autour d'une affiche géante où étaient inscrits vingt-cinq spectacles. M. Théophile rigolait. «Bon, ça suffit, maintenant, on y va.»

Ils nous ont emmenés jusqu'au musée d'Orsay. Avant d'y arriver, j'observais les immeubles très vieux et j'ai été le seul à avoir vu, gravés dans la pierre, deux noms d'architecte.

Qui a construit la tour pourrie où j'habite ? Je n'ai pas la réponse. L'architecte n'a pas signé, il n'a pas voulu que la postérité retienne son nom.

Postérité : c'est trop long de recopier la définition, mais ça veut dire aussi avenir.

La tour où j'habite n'a aucun avenir et ceux qui y habitent non plus, voilà ce que j'ai compris.

Au musée, M. Théophile n'a pas pu s'empêcher de commencer un cours sur ce musée qui était autrefois une gare, sur cette architecture de fer et de verre, « une architecture spécifique », il a dit. Mme Beaulieu l'a interrompu. Elle voulait seulement qu'on regarde et qu'on note. De salle en salle, nous nous sommes promenés et nous écrivions comme des fous tous les noms des sculpteurs et des peintres. Bogdan caressait les fesses des statues et les profs le laissaient faire. Les filles aimaient les tableaux de Puvis de Chavannes et elles lui ont décerné la note de vingt sur vingt.

Dans une salle, un petit tableau représentait des fleurs blanches sur un fond noir. Combien de temps je suis resté devant ses fleurs ? Je ne me souviens pas, mais plus je les regardais, plus j'étais heureux dans un monde sans mots, sans sons, comme Mounir quand il fait ses puzzles, qu'il rassemble un à un tous les morceaux pour construire ses paysages.

C'est M. Théophile qui m'a retrouvé, planté devant le tableau.

— Ça te plaît, Saïd ?

— C'est super.

— Viens, les autres nous attendent.

Nous avons pique-niqué dans un jardin entouré de maisons identiques avec des fenêtres composées de dizaines de carreaux.

— Ça doit être dur de faire les vitres, a dit Mélissa.

Nous nous sommes promenés sous les arcades et nous avons entendu une voix. La voix était celle d'un homme, et pourtant c'était une voix de femme. Elle ne chantait pas du rap, pas de la musique qu'on entend dans la cité. C'est du Schumann, a dit M. Théophile. Je n'avais jamais entendu le nom de ce type-là.

Plus personne n'écrivait sur son carnet. Mme Beaulieu avait l'air très contente.

Pas loin des arcades, nous sommes allés jusqu'à un lycée de Paris. Le lycée Charlemagne, a expliqué M. Théophile, et il a voulu nous parler de Charlemagne, mais Mme Beaulieu lui a dit stop.

On n'a pas pu entrer dans le lycée, pas tous. M. Théophile a choisi deux élèves, Antoine et moi, les premiers de la rangée A.

Il y avait des fresques sur les plafonds, pas un bruit dans les couloirs et un escalier immense, en marbre.

– Je pourrai y aller moi, dans un lycée, comme ça ?

M. Théophile a caressé mes boucles noires.

– Pas avant des années, Saïd et j'en suis désolé. Mais si tu travailles beaucoup, après ton bac, tu pourras.

Il avait l'air vraiment triste, M. Théophile et il essayait de me donner de l'espoir, mais il parlait d'un temps tellement lointain ! J'ai vu des années grises et bruyantes défiler devant moi, des siècles.

– Pourquoi je pourrai pas y aller, avant, même si je travaille bien ?

– Parce que ce n'est pas ton secteur, a-t-il répondu avant d'ajouter : quelle stupidité !

Il n'était plus triste, il était furieux. Je préfère quand il est furieux. Ça me donne plus de courage.

Dans le train du retour, j'ai relu mon carnet et j'ai montré les croquis du tableau à Antoine, mes fleurs étaient moches, mais je m'en souviendrai toujours.

– C'était un tableau de qui ? m'a demandé Antoine.

J'avais oublié d'écrire le nom du peintre.

Février : Camille Claudel était folle

Hier soir, je dormais dans mon lit au-dessus de celui de Mounir.

Abdelkrim n'est pas venu dîner. Très souvent maintenant, il ne rentre pas ou bien il arrive en fin d'après-midi, avant le retour de papa. Il fonce dans la cuisine, il embrasse maman, il lui soutire de l'argent, elle n'a presque rien, mais toujours elle cède à Abdelkrim. Elle cède parce qu'elle a peur de sa colère ou de celle de papa. Mais le plus souvent, et c'est ça le pire, elle cède parce qu'elle le croit. Abdelkrim prend une voix tellement douce, une voix de miel, il lui dit qu'il lui rendra l'argent au centuple, qu'il en a besoin pour un de ses amis, il les appelle ses frères, et il y a une telle douceur dans ses yeux. Comment peut-il être si doux et se métamorphoser en monstre ?

Il ne demande pas pourquoi Samira n'habite plus à la maison, il se contente de la maudire et il prétend qu'elle n'a pas intérêt à croiser son chemin. Il dit aussi : c'est beaucoup mieux pour elle qu'elle ait quitté la cité, des filles comme elle, il vaut mieux qu'elles ne soient pas là.

Maman ne comprend rien, Mounir est sourd et moi je fais semblant d'étudier.

Parfois, Abdelkrim entre dans la chambre, prend très vite quelques affaires, et quand il me voit par terre, avec mes livres ouverts, il a un rictus et il donne un coup de pied dans mes livres.

– Qu'est-ce que c'est ce truc ? C'est naze, où t'as trouvé ça ? a dit Abdelkrim en regardant la carte postale du tableau que j'ai vu au musée d'Orsay.

C'est M. Théophile qui me l'a donnée.

Je n'ai pas répondu, il n'a pas aimé mon silence.

Il a déchiré les fleurs. Tout ce qui est beau, il veut le tuer.

La nuit, j'essayais de dormir quand il s'est faufilé dans la chambre comme un voleur.

Juste après, j'ai entendu la voix de mon père, un chuchotement menaçant, je me suis réfugié sous ma couverture. J'aurais voulu être sourd comme Mounir. C'est à cause d'eux qu'il est sourd, à cause des cris dans la maison, dans les couloirs, dans les cités, dans les écoles.

Le sifflement disait :

— Lève-toi ! Lève-toi tout de suite ou je te frappe.

Abdelkrim ne se levait pas, il riait, je l'entendais du haut de mon lit, le rire de mon frère.

Mon père a frappé. Un bruit mat, pas celui du poing sur la peau. Il a dû frapper les montants du lit ou le mur. Abdelkrim ne bougeait pas. Papa se déplaçait dans la chambre où toutes les fringues d'Abdelkrim sont étalées. Ses étagères dans l'armoire se sont écroulées. Il a laissé les vêtements par terre.

Abdelkrim ne se levait pas, et mon père n'a plus essayé de chuchoter pour ne pas me réveiller, il a allumé le plafonnier. La lumière blanche m'a aveuglé. Comme dans un film surexposé, je voyais papa qui secouait Abdelkrim, le prenait par les épaules, et Abdelkrim, comme une poupée de chiffon, se laissait faire.

Je suis descendu de mon lit et je me suis assis près de Mounir. J'ai caché son visage avec sa couverture et je lui ai caressé les cheveux.

Mounir s'est réveillé et il a bondi. Il dormait profondément et d'un seul coup, il était debout entre papa et Abdelkrim. Il ne voulait pas qu'on touche à son grand frère et il le protégeait de ses bras. Abdelkrim l'a soulevé, il l'a recouché en prenant soin de tourner le visage de Mounir vers le mur et il m'a regardé :

— Monte dans ton lit, Saïd, et dors. Immédiatement.

Pendant que j'obéissais, j'entendais papa tirer le lit d'Abdelkrim. Quand je me suis retourné, j'ai vu une valise sous son lit et dans la valise ouverte par papa, des billets de banque.

Papa les tenait dans sa main sans rien dire. Il y en avait plein, comme dans les polars.

— Qu'est-ce que c'est, cet argent ? Dis-moi d'où ça vient. Dis-le ! a hurlé papa et son cri s'est transformé en sanglots.

Abdelkrim était très détendu.

— Je sais pas. Un ami m'a demandé de garder cette valise et je l'ai gardée, je savais pas ce qu'il y avait dedans.

— Tu mens !

— Ne me crois pas si tu veux, ça m'est égal.

Abdelkrim avait son air doux, sincère.

— Je vais te dénoncer à la police, tu m'entends ? Je vais dénoncer mon fils à la police !

— Jamais, tu feras ça papa ! Jamais ! Tu ne

veux pas que ton fils aille en prison, tu ne le veux pas. Je n'ai rien fait de mal et tu ne me dénonceras pas.

Abdelkrim disait la vérité. Papa était pathétique dans son pyjama bleu avec cette liasse de billets dans la main.

Pathétique : qui émeut vivement, excite une émotion intense, souvent pénible (douleur, pitié, horreur, tristesse).

Quand il a entendu du bruit – c'était maman qui s'agitait –, papa a caché l'argent et rangé la valise sous le lit. Puis, il a éteint la lumière du plafonnier et il est parti se coucher. Il était vaincu, et mes larmes coulaient : N'abdique pas, papa, n'abdique pas !

Je me suis servi de mon drap comme bâillon.

Abdelkrim ronflait déjà. La voix de Mounir a résonné dans le noir de la chambre.

– J'ai perdu une pièce du puzzle. Tu m'aideras à la retrouver, Saïd ?

Au cours de Mme Beaulieu, l'après-midi,

je dormais les yeux ouverts, au fond de la classe. Même le chahut habituel me berçait, une rumeur comme celle qu'il y avait dans ma tête. Je m'en fichais complètement de la guerre de Troie. Ma guerre à moi est plus difficile, elle est invisible, elle n'a ni alliés ni ennemis. Je suis tout seul enfermé dans le cheval de Troie, un cheval en carton. J'aurai zéro au contrôle.

Antoine s'est inquiété :

— Qu'est-ce que tu as, Saïd, t'es malade ? Pourquoi tu t'es pas assis avec moi, au premier rang ?

Mme Beaulieu sera très déçue, elle me dira que des élèves comme moi doivent lutter. Elle dira que je peux faire de grandes études, et je n'en ferai pas. Je resterai dans ce collège pourri, dans cette cité sans avenir.

Sur une affiche du métro, j'ai vu le nom de Camille Claudel. M. Théophile m'a expliqué qui elle était. Un grand sculpteur, une amie de Rodin, un autre grand sculpteur. Et elle est devenue complètement folle, il a ajouté. Ça me fait rire que notre collège porte le nom d'une dingue. Pas besoin d'être sculpteur pour devenir fou. Voilà ce que je dirai à M. Théophile.

Mars : mon cousin Tarek

Tarek m'a chopé dans un couloir et devant tous les sbires de sa meute, il m'a dit : « Saïd, j'ai à te parler. Rendez-vous sur le parking derrière l'arbre. »

Sbire : homme de main, personnage qui exerce des violences au service de quelqu'un.

J'étais surpris de le voir. Cela faisait au moins un mois que Tarek avait disparu. Des rumeurs circulaient. Tarek s'est fait virer, Tarek est en prison, Tarek a rejoint un gang de dealers.

À la maison, mes parents n'évoquaient jamais leur neveu. Une seule fois, un dimanche, mon oncle a parlé très longtemps avec mon père. Ils avaient l'air de deux combattants très fatigués qui ont traversé un désert sans boire d'eau et, même sur leur visage, on aurait dit qu'il y avait de la poussière.

Mais Tarek est revenu occuper sa place d'élève de troisième, imposer sa loi et nous pourrir la vie.

– N'y va pas, m'a supplié Antoine, défends-toi ! C'est ton cousin, je sais, mais…

– Pourquoi tu n'as rien dit quand Manu t'a piqué ton blouson, toi qui es si fort et qui n'as peur de personne, toi qui as un père pour te défendre ?

La cloche a sonné. Au cours de maths, Antoine m'a écrit une lettre : « J'ai rien dit à cause de toi. Manu m'a pris mon blouson et il m'a dit que si je le dénonçais, il en parlerait à Tarek et que Tarek te démolirait ; j'ai rien dit parce que t'es mon pote et que je m'en fous de mon blouson. »

J'ai fait un signe à Antoine pour le remercier. Il a voulu m'accompagner sur le parking. J'ai refusé et j'ai pensé à Mme Beaulieu qui voulait être seule pour affronter Tarek. C'était héroïque. Je n'ai pas la taille d'un héros, elle non plus, mais il y a des circonstances où on n'a pas le choix.

— C'est une histoire de famille, ça ne te regarde pas. Rentre chez toi et ne me pose pas de questions.

J'attendais près de l'arbre, je me revoyais devant les pneus crevés, il me semblait que beaucoup de temps s'était écoulé, et je sentais dans mon ventre les coups de couteau de Tarek.

Je me suis avancé vers lui et j'ai vu dans ses yeux que, pour mon cousin, il n'y avait aucune différence entre des pneus et moi.

J'avais des souvenirs avec Tarek, comme ceux que Mounir a encore avec Abdelkrim, et viendrait le moment pour Mounir aussi où il ne verrait plus dans son frère qu'un étranger.

Tarek jouait avec son couteau, et son ombre très longue s'étendait devant lui. Je l'ai traversée et, à cet instant, je suis entré dans un cauchemar plus grand encore que tous ceux que j'avais vécus.

Tarek a été bref.

— Abdelkrim travaille pour moi.

J'ai pensé à la valise pleine de billets sous le lit, la valise qui a disparu au lendemain de cette nuit où mon père, je ne saurai jamais comment, l'avait trouvée.

— J'ai des preuves contre ton frère mais personne n'a de preuves contre moi. La police m'a déjà eu, mais toujours pour des petits trucs, des vols de voiture, par exemple. Moi, je leur dis que je les emprunte, je ne les vole pas, je les conduis une nuit et je les laisse, tu comprends ? Ils sont obligés de me relâcher. Mais pour le vrai business, ils ne savent rien. Le vrai business, ça rapporte beaucoup d'argent. Quand j'en aurai suffisamment, je monterai une affaire, je quitterai cette cité et je m'achèterai une bagnole, comme celle qu'on voit dans les pubs. Je t'inviterai à faire un tour dans cette bagnole, toi et toute ta famille. Si je voulais, je pourrais faire tomber ton frère. Tu ne veux pas que ton frère tombe ? Tu ne le veux pas, Saïd ?

Il a rangé son couteau et il s'est approché tout près de mon visage pour attendre ma réponse.

— Non, je ne le veux pas.

Il a poursuivi en souriant. Il avait une dent cassée. Pendant tout le temps où il parlait, je regardais cette dent.

— Les profs t'aiment bien, tout le monde t'aime bien, tu es très précieux pour moi. J'ai déjà Manu pour le racket, Bogdan et Jonathan pour des petits boulots, mais, eux, ils vont se faire repérer très vite tandis que toi, personne ne te soupçonnera. Tu es bon élève, tu es petit, ce sera très facile. Tu vas faire exactement ce que je vais t'expliquer et Abdelkrim n'aura pas de problèmes. Quand je te le dirai, tu viendras ici comme aujourd'hui et tu n'auras qu'une chose à faire : distribuer des enveloppes aux types que je te désignerai, seulement ça, c'est pas dur. Si tu ouvres les enveloppes, si tu me trompes, je ne te ferai rien mais c'est ton frère qui paiera… ou ta sœur, Samira.

Au nom de Samira, j'ai tremblé. Jusque-là, je n'avais pas peur, je me sentais fort, j'étais prêt à refuser, je n'étais pas très sûr de vouloir protéger mon frère, mais quand il a prononcé le nom de Samira, j'ai abdiqué. Mes parents savent où elle se cache et ils se taisent. Ils ne veulent pas qu'Abdelkrim et Tarek la retrouvent. Est-ce qu'ils savent, eux? Est-ce que je peux accepter qu'à cause de moi, ma grande sœur ne soit jamais heureuse, jamais libre, qu'elle soit condamnée à vivre enfermée dans un appartement?

Je l'imagine habitant près du musée d'Orsay, près de ce tableau de fleurs blanches, dans un immeuble en pierre qui a un nom d'architecte.

— Si tu touches à ma sœur Samira, je te tue.

La phrase est sortie toute seule et je l'ai regrettée. Tarek a ri d'un rire effrayant et j'ai cru que de sa dent cassée, il allait me mordre.

Il n'a rien ajouté, il a glissé dans mon cartable deux enveloppes avec des noms d'élèves de troisième, une date et une heure. Et il est parti. Je suis resté au pied de l'arbre. Je ne connais pas le nom de cet arbre et ça me semblait très important soudain de le connaître.

Sur la route, Antoine m'attendait.

Il avait eu le temps de rentrer chez lui et de revenir. Il m'a accompagné jusqu'à ma tour. Je ne lui ai rien dit. Il n'a pas posé de questions. Il m'a tendu une caisse pleine de Legos pour Mounir.

Avril : ma quatrième vie
qui a duré deux jours

J'ai réussi à prévenir Samira, à lui dire de ne jamais revenir et d'aimer Kevin.

Hier, j'ai croisé ma maîtresse, Nadine, et je n'ai pas osé lui dire bonjour, je me sentais sale.

Ça fait trois semaines que je travaille pour Tarek. Je suis devenu un de ses sbires. Il est très organisé. On se retrouve le matin à l'entrée du collège. Parfois, il passe devant moi sans me reconnaître et j'ai l'impression qu'il a renoncé à se servir de moi. Mais je me trompe toujours. Il claque des doigts, j'ouvre mon cartable sans que personne ne me voie, c'est très facile puisque personne ne nous surveille, et il glisse ses enveloppes. Les noms sont écrits dans une écriture toute tordue, on ne peut pas savoir que c'est celle de Tarek. À la fin de la journée, quand tout le monde est parti, je me cache derrière l'arbre, des grands viennent m'y rejoindre, je leur donne les enveloppes, la marchandise, comme ils disent, et, en échange, ils me remettent d'autres enveloppes que je donne le lendemain à Tarek. Je ne manque jamais les rendez-vous.

Je ne veux pas connaître le contenu de ces enveloppes, je n'en ai pas besoin, rien qu'en les touchant, je suis empoisonné.

Depuis que Tarek m'a à la bonne, c'est ce que les autres croient, ils me regardent autrement. Même les filles. Ils m'admirent. Ça me dégoûte. Ils ne se doutent pas de mon calvaire.

Antoine a tout compris, j'en suis sûr. À chaque fois que je m'éloigne de lui, que je quitte ce pilier dans le hall où nous avons rendez-vous tous les matins pour aller rejoindre Tarek, il me donne un petit coup sur l'épaule.

Il est très inquiet, il a peur, mais il ne dira rien, parce que c'est un pote, un vrai.

Abdelkrim se pavane dans la meute de Tarek, il a oublié tout ce que papa nous a appris : être bon, honnête, faire ses devoirs. Il ne sait pas qu'à cause de lui, son frère Saïd a une vie en morceaux.

J'ai plusieurs vies : une, à la maison, où je m'occupe de construire un château fort avec Mounir, une où je lutte pour travailler dans le bruit infernal du collège, une où j'ai tellement peur que je suis anesthésié.

Anesthésie : suppression de la sensibilité.

J'ai eu une quatrième vie, une vie merveilleuse, qui a duré deux jours.

Antoine m'a invité à passer un week-end à la campagne, avec son père. Seulement nous trois.

— Pourquoi ta mère ne vient pas ?

J'ai posé la question, puis je me suis souvenu.

Ses parents sont divorcés. Ils ne vivent pas très loin l'un de l'autre et, à chaque fois que je les ai rencontrés ensemble, ils avaient l'air de bien s'entendre.

– Pourquoi ils ont divorcé tes parents ?

– Parce qu'ils ne s'aimaient plus.

– Ils n'ont pas l'air de ne plus s'aimer, ils ne se disputent pas, ils ne se regardent pas en chiens de faïence.

– En quoi ?

Antoine ne connaissait pas l'expression et j'ai été très fier de la lui apprendre.

Se regarder en chiens de faïence : se faire face dans une attitude hostile, sans parler.

– Mes parents s'aiment beaucoup, mais ils ne s'aiment plus, a dit Antoine qui n'avait pas l'air triste du tout de cette situation.

J'aurais voulu qu'il m'explique, mais il n'a rien ajouté. Ça lui semblait aller de soi, mais pas pour moi. Chez nous, on se marie et c'est tout, il n'y a pas toutes ces nuances. Mes parents se disputent, ils sont tristes et ils regardent la télé. Est-ce qu'ils s'aiment ? Peut-être qu'ils feraient mieux de divorcer, j'ai pensé.

Le père d'Antoine a un ami qui lui a prêté sa maison de campagne, près de Saint-Lô. J'ai cherché dans les cartes de M. Théophile où se trouvait Saint-Lô. J'ai mis beaucoup de temps, parce que c'est une petite ville mais elle y était, tout là-haut près de la mer.

Abdelkrim, qui depuis l'histoire de la valise rentre tous les soirs à l'heure, a donné son avis :

— Vous ne devriez pas le laisser aller chez ces Français, ils vont lui donner à manger du porc, ta fille, déjà, est perdue, on dit qu'à Paris, elle est devenue…

Papa a levé la main, Abdelkrim s'est tu.

— Ta sœur a trouvé un travail et je te défends de dire un mot sur elle, tu m'entends ?

Abdelkrim a mangé son repas en sifflotant.

Il joue la comédie pour les calmer, mais il n'a rien changé à ses habitudes. La nuit il sort, une heure, deux heures, trois heures, puis il revient. Il fait semblant d'aller au collège mais de plus en plus souvent, il n'y met pas les pieds. Quand Tarek n'est pas là, Abdelkrim est absent, lui aussi. Je préférerais qu'ils disparaissent, tous les deux, définitivement.

Le vendredi, j'attendais avec impatience la voiture du père d'Antoine, une voiture de location.

C'était un vendredi de pluie, Antoine râlait mais moi, ça m'était égal. Il pouvait pleuvoir des déluges, je passerai un week-end, loin de la cité, loin de chez moi, loin de Tarek et d'Abdelkrim.

Le père d'Antoine est sorti d'une voiture toute neuve, éclatante. Il m'a serré la main. M. Théophile l'a aperçu et ils ont discuté longtemps tous les deux en jetant des coups d'œil de notre côté. Antoine s'est mis au chaud mais moi, je suis resté sous la pluie à les observer et à regarder l'arbre qui était déjà tout vert et qui profitait de cette aubaine du ciel.

Aubaine : avantage, profit inattendu, inespéré.

Tous les trois, nous sommes partis dans notre arche de Noé rouge. M. Théophile nous avait raconté des histoires de la Bible et j'avais pensé en l'écoutant : je ne connais aucune histoire du Coran, je ne sais ni lire l'arabe, ni l'écrire, ni le parler. Dans la voiture du père d'Antoine, je me sentais français.

Le père d'Antoine ne se souvenait plus très bien du chemin. Je l'ai aidé en lisant la carte. J'ai de bonnes aptitudes en géographie. C'était écrit sur mon bulletin.

Aptitude : disposition naturelle.

Depuis longtemps, il ne pleuvait plus et nous avons écouté de la musique classique. J'ai demandé au père d'Antoine s'il connaissait Schumann à cause de la voix que j'avais entendue sous les arcades de la place des Vosges. Il a eu l'air très intrigué par ma question et, dans le rétroviseur, il m'a souri.

La maison était au bout d'un chemin de boue. Quand j'ai ouvert la portière, j'ai respiré l'air mouillé de la terre, des feuilles, de l'herbe, et comme la lune éclairait le jardin, j'ai vu trois fleurs blanches dans le noir et j'ai reconnu mon tableau. C'est la nuit que le peintre les a vues, j'en suis sûr, il les a coupées, il les a posées sur une table et il les a peintes, pas comme elles étaient sur la table, mais comme il les avait vues, dans un jardin, la nuit.

Antoine s'était endormi, son père l'a pris dans ses bras et l'a installé dans la maison sur un vieux canapé. Tout de suite, il m'a demandé de l'aider à faire du feu.

— Il fait un froid dans ces maisons de campagne !

Il avait raison, ça sentait un peu le moisi aussi et c'était un vrai capharnaüm, la maison de cet ami.

Capharnaüm : lieu qui renferme beaucoup d'objets en désordre.

Il était vraiment trop tard pour faire un feu. Le père d'Antoine a trouvé des duvets dans un coffre et il nous a couchés. Antoine ne s'est pas réveillé.

Pendant ce week-end, j'ai vu la mer grise et des nuages troués, j'ai joué avec Antoine et son père au football dans le jardin, j'ai écouté le vent et j'ai mouillé mon index, comme le père d'Antoine me l'a appris pour savoir d'où le vent venait, j'ai mangé des moules au vin blanc et des frites, j'ai appris un peu à jouer aux échecs, j'ai fait tous mes devoirs de la semaine et j'ai lu un livre d'Agatha Christie, une enquête d'Hercule Poirot.

J'étais allongé sur le tapis en poil blanc qui sentait la chèvre, près du feu. Antoine aussi lisait et son père, assis à la table, travaillait sur des chiffres.

De temps en temps, je levais la tête et je le regardais. Lui, il sait mettre la table, faire à manger, et il n'a pas peur de la vaisselle. Lui, il nous a aidés à faire nos devoirs et il sait plein de choses en histoire, en géographie, en musique. Il est même très fort en Bible, comme M. Théophile. Lui, il n'a pas peur que son fils donne des enveloppes à des élèves et qu'il finisse en taule.

Près du feu, je lisais et c'était tellement facile de lire.

Il y a tant de silence dans les livres et dans le feu.

Le dimanche soir, ils m'ont raccompagné. Je ne voulais pas qu'ils voient la tour, l'ascenseur défoncé, les tags dans les couloirs, je ne voulais pas qu'ils entendent toutes les télés de tous les appartements brailler au milieu des cris des parents et des enfants. Devant la porte, Mounir m'attendait. Il ne les a pas laissés entrer. Les fleurs blanches que le père d'Antoine avait coupées pour moi étaient fanées.

Mai : *Scream*

Nous ne sommes plus retournés dans la maison de campagne, pas loin de la mer. Plusieurs fois, Antoine m'a demandé de venir chez lui, le samedi ou le dimanche, mais je n'ai pas voulu. Il ne comprend pas. Si j'y allais souvent, je n'aurais plus envie de revenir chez moi. Je n'ai pas le droit. Je serais un traître.

Dimanche dernier, il faisait beau et je jouais avec Mounir. Maintenant, il porte un appareil et il entend mieux. Ce qui est drôle, c'est qu'il entend quand il veut. Je le comprends. Parfois, c'est mieux d'être sourd.

Maman a amené Mounir avec elle chez une voisine et papa est resté à la maison devant un match de tennis. Il pourrait rester des heures à regarder des matchs de tennis et il attend avec impatience le mois de juin à cause de Roland-Garros. Il n'ira jamais à Roland-Garros et pourtant, ça lui plairait tellement d'observer la balle et de remuer la tête à droite, à gauche, cinq heures d'affilée.

« Ça me repose, le tennis », dit papa. Et il ajoute : « Les gens qui jouent au tennis sont propres. »

Moi, le tennis, ça m'endort.

J'avais fini mes devoirs, je les avais bâclés. L'impression que ça ne sert à rien, que Bogdan a raison. On passera tous, de toute façon, et on continuera en cinquième à faire le minimum et personne ne nous dira rien. Camille Claudel nous a abandonnés depuis longtemps ; son fantôme de folle erre dans les couloirs et dans les classes et elle n'a plus de génie, c'est fini.

Depuis quinze jours, je n'avais pas vu Tarek et les élèves de troisième, nos clients, comme dit Tarek, me harcelaient de questions. Je ne répondais pas.

Antoine a peur pour moi. C'est peut-être pour ça que je le vois moins. Je ne veux pas qu'il soit mêlé à tout ça. Lui, un jour, il ira avec son père à Roland-Garros. Il est propre, comme dit papa.

Je suis monté sur la terrasse au sommet de la tour, sans prendre l'ascenseur, en panne depuis des semaines.

Je n'y vais presque jamais, il n'y a rien à y faire, sinon à regarder le ciel et à espérer le passage d'un avion. Aucun avion ne passe ici.

Sur la terrasse, il y avait des bruits de coups et des cris. Je me suis caché dans l'escalier, je voulais redescendre, mais mes jambes se sont paralysées.

Les cris étaient ceux de mon frère. Je ne pouvais plus songer à m'échapper.

Abdelkrim était là-haut, en danger, et même si je croyais ne plus l'aimer à cause de tout ce que je subissais, je ne pouvais pas l'abandonner.

Par la petite porte en fer, entrebâillée, j'ai regardé en espérant que personne ne me verrait. Je me disais, Saïd, s'ils te voient, tu es un homme mort.

Au centre de la terrasse, ils avaient attaché Abdelkrim à un poteau rouillé. Ils lui avaient collé du sparadrap sur les lèvres pour amortir ses cris. Tarek était là, dans un tee-shirt blanc, et il fumait une cigarette tandis que Manu et d'autres de sa meute frappaient mon frère, pas très fort, juste assez pour qu'il ait peur.

Ils lui posaient des questions sur le contenu d'une valise. D'après ce que je comprenais, ils l'avaient récupérée, mais il manquait de l'argent, beaucoup d'argent, qu'Abdelkrim aurait gardé.

Mon frère secouait la tête, ses yeux pleuraient, Tarek soupirait comme un flic pas content devant une mauvaise réponse. Il a claqué des doigts. Manu a retiré le sparadrap. Puis Tarek a craché toute sa fumée dans les yeux d'Abdelkrim. Les autres riaient.

Leur chef s'est assis sur ses talons, il a regardé le ciel comme si l'ange Gabriel allait apparaître et il s'est mis à chanter une étrange mélopée.

Mélopée : chant, mélodie monotone.

Un chant répétitif très doux, comme celui qu'on chanterait à un condamné à mort.

C'était moi, Saïd qui voyais cette scène, c'était mon frère Abdelkrim qu'ils allaient tuer et pourtant je ne bougeais pas. Je ne bougeais pas parce que c'était moi, c'était lui et ce n'était plus nous, c'était un film et il suffisait que j'appuie sur le bouton pour rembobiner, revenir des années en arrière, quand j'étais fier de jouer au foot avec mon grand frère, quand il m'emmenait avec lui à la piscine, quand il m'autorisait à mettre l'un de ses tee-shirts beaucoup trop grands pour moi, mais que je portais comme un trophée.

Le chant s'est arrêté, on n'entendait plus que la respiration d'Abdelkrim très rapide et entrecoupée de sanglots. Je devenais sourd comme Mounir, et j'étais très heureux d'être sourd. Un film d'horreur sans le son, ça ne fait pas peur. Essayez, vous verrez, vous ne ressentirez plus rien.

Mais le son est revenu par la voix de Tarek.

— Écoute, mon frère, je vais te laisser un peu de temps. Tu as jusqu'à dimanche prochain à la même heure, je te fais une fleur, tu es mon cousin, mais si tu ne rapportes pas ce que tu dois, je vais chez ta sœur, tu sais que je connais son adresse.

Et d'un coup sec, Tarek a sorti la lame de son couteau.

J'ai retiré mes baskets et, pieds nus, je suis descendu. Dans l'appartement, papa regardait toujours son match.

Abdelkrim ne passe plus ses repas avec nous. Il doit se planquer quelque part, dans une cave ou dans un hangar. Est-ce qu'il a encore des amis qui viennent le voir ?

Papa a signalé à la police sa disparition. J'ai appelé Samira et je lui ai tout raconté, je ne lui ai pas laissé le temps de me répondre. Sauve-toi ! Sauve-toi ! C'est tout ce que je voulais lui dire.

Hier, Mme Beaulieu a téléphoné à la maison, elle a parlé d'Abdelkrim, de ses résultats scolaires catastrophiques, d'un conseil de discipline. « Mon fils a un bon fond », disait papa.

Il a raison, papa, mais le fond est tellement loin qu'Abdelkrim l'a perdu.

Dans mon lit, j'ai revu des images d'un temps lointain. Je suis dans ma classe de CM2, j'écoute Nadine, elle nous parle des frontières entre la rue, l'école et la classe, elle nous oblige à souligner la date en haut de la page, à bien tenir nos cahiers, à ne pas faire de taches.

Puis, j'ai déroulé le film plus loin encore : je suis dans mon lit, celui où dort Mounir, et je parle de Zidane avec Abdelkrim.

Juin : la fin du cauchemar ?

Mon oncle est arrivé un soir avec sa femme. Ils avaient les yeux rouges. Ils parlaient à voix basse, mais j'étais derrière la porte de ma chambre.

Les flics ont arrêté Tarek. Ils sont venus pour un simple contrôle. Tarek et sa meute les ont accueillis comme ils le font toujours en faisant des bruits de poulet. Cot, cot, cot… Mon oncle les voyait de la fenêtre et il les suppliait d'arrêter. Ils n'ont pas arrêté.

Tarek se croyait invulnérable, mais ils lui ont passé les menottes et ils l'ont emmené. Il ne s'est pas débattu, a dit l'oncle. Tarek riait. Il avait oublié que depuis deux jours il avait dix-huit ans et qu'aucun juge ne le relâcherait. Le lendemain, ils ont fait une perquisition chez mon oncle devant tous les voisins et ils ont interrogé des dizaines de personnes. Je crois que c'est pour ça qu'ils pleuraient : ils avaient la honte. Ils vont venir chez vous, a prévenu l'oncle.

Tarek a donné le nom d'Abdelkrim.

Je suis retourné me coucher, je ne supportais plus d'entendre mes parents se lamenter : Dieu les avait abandonnés, ils étaient de bons parents, ils ne savaient pas, tout ça, c'était la faute de la France.

Il faut retrouver Abdelkrim, se cotiser et l'envoyer en Algérie, très vite, disait maman en se tordant les mains.

Je suis content que la police ait pris Tarek, j'espère qu'il ne va plus jamais revenir. Depuis longtemps, le collège aurait dû le virer pour l'empêcher de nous terroriser. C'est mieux pour Abdelkrim d'être loin. C'est où l'Algérie ?

J'ai regardé sur une carte et, pour la première fois, j'ai compris que l'Algérie est en

Afrique. Mes parents ne parlent pas de l'Algérie sinon pour nous répéter que, là-bas, c'était
mieux. Si c'est vrai, pourquoi ils n'y retour-
nent pas?

Non, je n'arrive pas à être triste pour Tarek
et sa meute. C'est une sale engeance.

*Engeance : catégorie de personnes méprisables ou
détestables.*

Mais mon frère n'était pas comme eux. Il
l'est devenu. Et c'est peut-être trop tard pour
lui.

Juillet : le ciel, le soleil et la mer

Antoine va quitter le collège Camille-Claudel, il va aller au collège Van-Gogh, de l'autre côté de l'autoroute. Van-Gogh, ce n'est pas notre secteur.

Son père a déménagé pour lui donner une chance d'étudier mieux dans un petit collège de trois cents élèves. J'ai vu ses nouveaux copains. Ils ne me ressemblent pas. On aurait dit qu'ils allaient tous à un match de Roland-Garros. Antoine m'a serré la main, il n'osait pas me regarder.

Je n'écris presque plus. J'ai de moins en moins de mots, j'ai la tête vide.

Je suis dans une colo, en Bretagne. Il pleut tous les jours et, sur les plages, il y a des puces de sable, des insectes transparents qui sautent partout, des cafards maritimes.

Je n'ai pas reçu de courrier de mes parents, seulement une lettre de Samira. Elle va bien. Kevin l'aide, il l'aime toujours et comme elle a eu dix-huit ans, elle est libre. Elle travaille dans un café comme serveuse et, le soir, elle étudie. Le café n'est pas loin de la place des Vosges, elle me l'a dit. Je me demande si sous les arcades, il y a toujours ce chanteur à la voix de femme qui chante Schumann.

Abdelkrim est chez une tante à Alger. Il pleure, il déteste l'Algérie, il veut rentrer en France, mais il ne peut plus.

Août : l'été, la cité, le béton, l'ennui

Je suis resté dans la cité.

J'ai rencontré Manu. Il m'a dit qu'un de la meute de Tarek reprenait le business. J'ai craché par terre. Manu a eu un rictus.

J'ai reçu une carte postale d'Antoine. Il est dans la maison près de Saint-Lô avec son père. Il m'a écrit : « Tu seras toujours mon pote. »

Je ne lui ai pas répondu.

Septembre : M. Théophile

Je resterai dans ce collège parce que c'est mon secteur, parce que même si je travaille bien, je n'ai pas le droit d'aller ailleurs. Je suis sur la terrasse, tout seul, il fait très beau, le ciel est bleu, demain, c'est la rentrée. Devant moi, les tours forment des lignes comme les mailles d'un filet dont on ne peut pas s'échapper.

J'ai séché les cours, je n'ai pas supporté de revoir Bogdan, Jonathan et les autres, d'être envahi encore par le bruit, de savoir que je ne pourrai pas me concentrer, plus jamais. À la fin de la journée, je suis allé sur le parking, j'ai attendu M. Théophile, et c'est à lui que j'ai donné mon cahier, sans dire un mot.

Le lendemain, M. Théophile s'est approché de moi et, devant toute la classe, il m'a tendu ses bras. Je me suis blotti contre son grand corps d'homme fort et, d'un seul coup, j'ai pleuré.

– Je ne te lâcherai pas, Saïd. Tu peux compter sur moi.

Dans ses yeux bleus, j'ai puisé une grande consolation.

Consolation : soulagement apporté à la douleur, à la peine de quelqu'un.

Il était cinq heures, je suis rentré à la maison. J'ai pris Mounir par la main et nous sommes partis faire une promenade, tous les deux.

Mounir a levé la tête. Un avion traversait le ciel.